Activités de
Pâques

Fiona Watt et Ray Gibson

Maquette : Sarah Sherley-Price, Andrea Slane et Jo Webb
Photographies : Howard Allman

Illustratrions : Amanda Barlow, Chris Chaisty, Michaela Kennard,
Sarah Sherley-Price, Nelupa Hussain et Andrea Slane

Photographies supplémentaires : Ray Moller

Pour l'édition française :
Traduction : Christine Sherman, Rédaction : Renée Chaspoul et Dani Leman

Sommaire

Poules et poussins

1. Plie une assiette en carton en deux, en appuyant bien. Peins le dos de l'assiette.

2. Replie l'assiette. Découpe et colle un triangle de papier pour le bec de la poule.

3. Découpe de petits triangles de papier de couleur vive pour faire la crête de la poule.

Découpe et colle des plumes en papier.

Les poussins sont réalisés à partir d'un rond de papier épais plus petit (trace le contour d'une soucoupe). Ils n'ont pas de crête.

Scotche la queue au dos de l'assiette.

4. Colle la crête de l'autre côté de l'assiette. Découpe un œil et colle-le également.

5. Découpe de fines bandes de papier de couleur, de la longueur d'une main.

6. Entortille-les à un bout pour faire la queue. Scotche celle-ci derrière le carton.

Les poules ont l'air de picorer quand elles se balancent sur leur base.

Papier cadeau

Sers-toi d'un crayon à la cire.

1. Dessine plusieurs têtes sur une grande feuille de papier.

2. Dessine deux oreilles sur chaque tête, sans oublier l'intérieur.

3. Avec le même crayon, trace la forme d'un ventre bien dodu.

4. Ajoute deux pattes, puis une petite queue ébouriffée.

5. Dessine les yeux, le museau et la bouche de chaque lapin.

6. Trace les moustaches et colorie tous les lapins avec des feutres.

Ajoute quelques lapins dans une position différente.

Enveloppe tes cadeaux de Pâques dans ce papier.

4

Pour l'étiquette, dessine
un lapin, découpe-le,
puis colle-le sur du
papier épais.

Lapins dans un pré

Peins le lapin sur le fond de couleur.

1. Peins l'herbe en jaune avec la paume de la main. Recommence par-dessus avec du vert.

2. Une fois le pré sec, peins un gros ventre en trempant l'un de tes doigts dans la peinture.

3. Peins la tête avec le doigt, en appliquant la peinture d'un mouvement circulaire.

4. Retrempe le bout du doigt dans la peinture et trace les oreilles et les pattes du lapin.

5. Trempe le doigt dans du blanc et ajoute la queue et deux points pour les yeux.

6. Quand la peinture est sèche, complète le dessin au feutre : yeux, museau et moustaches.

Peins quelques fleurs
avec le doigt.

Œufs décorés

Œufs teints

Laisse refroidir l'œuf.

1. Fais cuire un œuf dur. Sur la coquille, dessine un décor au crayon cire.

2. Verse un colorant alimentaire de couleur vive dans un bol.

3. Mets l'œuf dans le bol. Teinte la coquille au pinceau.

4. Avec une cuillère, mets l'œuf à sécher sur de l'essuie-tout.

5. Verse un peu d'huile dans une soucoupe ou un petit bol.

L'huile fait briller l'œuf.

6. Trempe un bout d'essuie-tout dans l'huile. Frotte la coquille avec.

Motifs géométriques

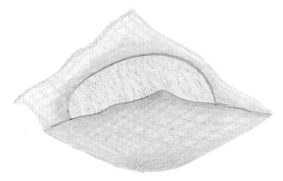

1. Fais cuire un œuf dur. Laisse-le refroidir et essuie-le bien.

2. Découpe des bouts de cache adhésif. Colle-les tout autour de l'œuf.

Décore de rayures de différentes couleurs.

Pour un œuf comme celui-ci, dispose les bandes de scotch en étoile.

3. Avec des feutres, colorie la coquille de différentes couleurs.

4. Lorsque l'encre est sèche, enlève le cache : il reste un motif.

Ce type de décor se voit mieux sur des œufs blancs ou beige clair.

Carte de vœux

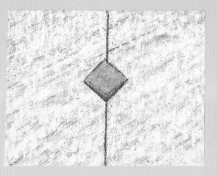

1. Coupe le coin d'une enveloppe. Colore-le complètement avec un crayon à la cire.

2. Plie un morceau de papier épais en deux. Forme bien le pli, puis ouvre de nouveau.

3. Colle le coin de l'enveloppe au milieu de la carte. Ce sera le bec du poussin.

Peins le fond de couleurs bariolées. Quand la peinture est sèche, fais le poussin en collant des bouts de papier. Puis ajoute le bec et les yeux.

4. Soulève le haut du bec. Ferme la carte et appuie dessus pour aplatir le bec.

5. Ouvre la carte et dessine le poussin. Ajoute ses yeux, ses pattes et ses ailes.

6. Dessine des fleurs sur le fond ou découpe-les dans du papier de couleur, puis colle-les.

Pour faire une longue carte, colle ou dessine plusieurs poussins sur le pli.

Fais le corps du poussin avec de petits bouts de papier de soie collés.

Brebis et agneaux

1. Pour le corps des moutons, dessine et découpe des formes comme ci-dessus dans du papier fin.

2. Trempe ensuite tes découpages dans l'eau, secoue-les bien et dispose-les sur une grande feuille de papier.

3. Avec du scotch, fixe l'extrémité d'un fil de laine sur une vieille carte postale. Enroule tout autour.

Tu n'as pas besoin de serrer.

Les deux bouts de scotch
doivent être du
même côté.

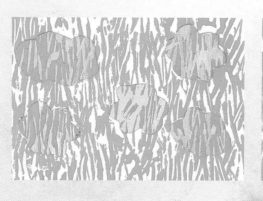

4. Une fois que toute la carte est recouverte de laine, coupe le fil restant et fixe-le par un autre bout de scotch.

5. Imbibe le côté sans scotch de peinture verte. Imprime sur le papier. Répète en reprenant de la peinture.

6. Enlève les formes de papier. Quand tout est sec, complète chaque mouton avec un feutre épais ou de la peinture.

Imprime les fleurs avec un doigt trempé dans la peinture.

Drôle d'oiseau !

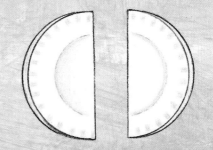

1. Plie trois assiettes en carton en deux, puis rabats dans l'autre sens le long du pli.

Jette ces deux morceaux.

2. Découpe l'une des assiettes en deux le long du pli. Raccourcis comme illustré.

Tu peux aussi enrouler ensemble deux feuilles de papier crépon de couleur différente pour faire une crête bicolore (étape 7).

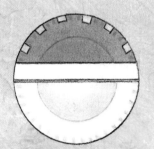

Peins les assiettes comme ceci.

3. Mélange de la colle blanche à de la peinture jaune, rouge et orange. Peins les assiettes.

4. Quand tout est sec, plie les deux assiettes et pose-les l'une sur l'autre comme ci-dessus.

5. Fixe les parties rouge et orange ensemble par plusieurs petits bouts de scotch.

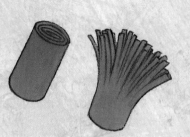

6. Retourne. Scotche l'assiette découpée orange sur la demi-assiette rouge.

7. Enroule une bande de papier crépon d'environ 10 cm. Coupe des entailles tout autour.

8. Avec du scotch, fixe le rouleau de papier crépon derrière la partie jaune, comme sur l'illustration.

9. Découpe des yeux dans du papier et colle-les, puis ajoute des iris d'une autre couleur.

10. Fais un trou dans une chaussette. Enfile la main dans la chaussette, le pouce dans le trou.

11. Glisse la main dans la tête de l'oiseau. Ouvre et ferme la main pour le faire parler.

Tête de lapin

Pour les oreilles, noue deux couettes en haut de ta tête. Mets-les en forme avec du gel de coiffage.

1. D'un mouvement circulaire, prélève du maquillage couleur lilas avec une éponge humide.

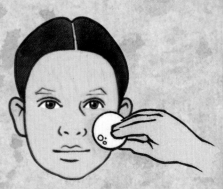

2. Applique sur une joue en tapotant avec l'éponge. Soulève, puis continue.

Mets un tee-shirt de couleur assortie avant de te maquiller.

Tu peux obtenir du maquillage de teinte lilas en mélangeant d'autres couleurs (voir ci-dessous).

3. Maquille tes joues, ton nez et ton menton. Laisse le pourtour de la bouche non maquillé.

4. Continue ainsi en remontant sur le front, sans maquiller autour des yeux.

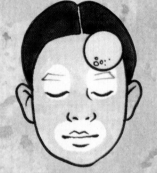

5. Ferme les yeux et la bouche, et applique du blanc sur les parties non maquillées.

6. Applique du violet sur les pommettes et sur le front. Peins de grands sourcils roses.

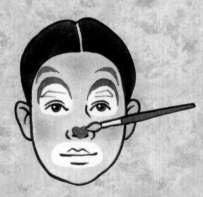

7. Avec un pinceau toujours imbibé de rose, peins le bout du nez, comme illustré.

8. Peins un trait du nez à la lèvre du haut. Peins la lèvre du bas, puis les moustaches.

Mélange des couleurs

La teinte lilas s'obtient en mélangeant des maquillages rouge, blanc et bleu.

Mélange pour faire du violet.

1. Applique du rouge sur le dos de la main, puis du bleu.

2. Nettoie l'éponge et ajoute du blanc pour éclaircir le violet.

Poussins imprimés

 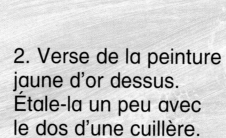 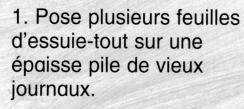

1. Pose plusieurs feuilles d'essuie-tout sur une épaisse pile de vieux journaux.

2. Verse de la peinture jaune d'or dessus. Étale-la un peu avec le dos d'une cuillère.

3. Coupe une pomme de terre en deux. Pour la poignée, taille deux encoches comme illustré.

4. Trempe le côté chair dans la peinture. Imprime sur une feuille de papier, en appuyant bien.

5. Découpe un triangle de papier orange ou rouge. Colle-le à côté du corps.

6. Quand tout est sec, dessine un œil, une aile, la queue et les pattes avec un feutre noir.

Grandes fleurs imprimées

Primevères

1. Étale de la peinture jaune sur du papier journal. Coupe une poire encore verte en deux et imbibe-la de peinture.

2. Imprime sur une feuille de papier. Pose le capuchon d'un flacon à la pointe de la forme imprimée.

3. Continue d'imprimer avec la poire tout autour du capuchon, en reprenant de la peinture à chaque fois.

L'illustration sur ces pages est à échelle réduite. Tes motifs seront beaucoup plus grands.

4. Enlève le capuchon. Trempe un doigt dans de la peinture verte pour imprimer le cœur des fleurs.

5. Coupe une grande pomme de terre en deux et imprime les feuilles avec, en l'imbibant de peinture verte.

Pour les violettes,
sers-toi d'une petite
pomme de terre. Imprime
les cœurs avec le doigt.

Campanules

Incurve légèrement
le carton.

1. Trempe le bord d'une
bande de carton dans
de la peinture verte.
Incurve-la légèrement,
puis imprime la tige.

2. Découpe une bande
plus petite, trempe-la
dans de la peinture verte
et imprime plusieurs fois
le long de la tige.

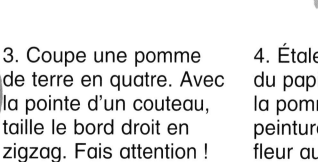

3. Coupe une pomme
de terre en quatre. Avec
la pointe d'un couteau,
taille le bord droit en
zigzag. Fais attention !

4. Étale du bleu clair sur
du papier journal. Imbibe
la pomme de terre de
peinture et imprime une
fleur au bout des tiges.

Ronds de serviette

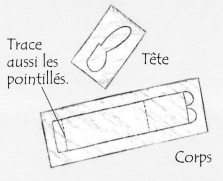

Trace aussi les pointillés.

Tête

Corps

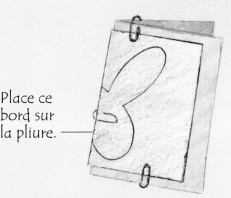

Place ce bord sur la pliure.

1. Prends une feuille de papier calque de la taille de cette page. Fixe-la avec des trombones sur la page 23.

2. Trace les contours de la tête et du corps. Puis découpe le papier calque autour des dessins, comme ci-dessus.

3. Plie un morceau de papier épais en deux. Fixe le modèle de la tête avec des trombones, comme illustré.

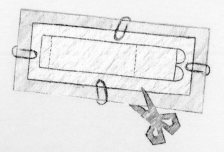

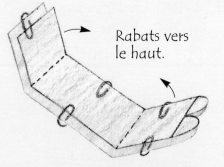

Rabats vers le haut.

4. Découpe avec soin la forme de la tête. Ouvre le papier et dessine les détails de la tête avec un feutre noir.

5. Fixe le modèle du corps sur du papier épais et découpe. Fixe de nouveau le calque sur la forme découpée.

6. Rabats le papier en suivant les pointillés du modèle. Marque bien les pliures, puis enlève le calque.

Encolle ce rabat.

7. Encolle le rabat, puis incurve le papier et colle en bout du corps. Les pattes doivent dépasser.

8. Dépose deux gouttes de colle derrière les oreilles. Colle la tête sur le corps.

N'oublie pas de tracer les pointillés sur le papier calque.

Enfile les serviettes enroulées dans le corps des lapins.

Recourbe les oreilles en les enroulant autour d'un crayon.

9. La queue est un petit bout de coton roulé en boule et collé derrière le corps.

Ces ronds de serviette seront parfaits pour le repas de Pâques !

Œufs surprises

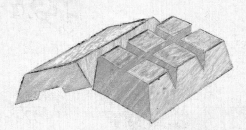

1. Procure-toi une boîte à œufs. Régularise les bords avec des ciseaux. Peins l'intérieur de couleur vive.

2. Retourne la boîte, puis peins-en l'extérieur de la même couleur. Laisse-la complètement sécher.

3. Ouvre un œuf en tapotant le bout pointu avec une cuillère. Ôte les morceaux de coquille cassée, vide dans l'évier.

4. Lave la coquille vide à l'eau froide, puis laisse-la sécher à l'envers. Recommence avec cinq autres œufs.

5. Décore les œufs avec des crayons de cire et des colorants alimentaires. (Regarde page 8 comment faire.)

6. Dépose un petit œuf de Pâques ou un petit jouet dans chaque coquille. Mets les œufs dans la boîte.

7. Plie ensuite plusieurs rectangles de bristol de couleur en deux. Dessine un demi-papillon sur chacun. Découpe.

8. Ferme la boîte par un ruban. Ouvre les ailes des papillons, puis colle-les tout autour de la boîte.

Dissimule de petits œufs en chocolat dans les œufs décorés.

Colle des fleurs découpées dans du papier cadeau.

Dessine les antennes des papillons avec un feutre.

Tu peux aussi coller des paillettes.

Imprime des fleurs en trempant ton doigt dans la peinture.

Bouquet de jonquilles

1. Trace un carré de 12 cm de côté sur du papier crépon jaune vif. Découpe-le, puis coupe-le en deux.

Lie les tiges par un ruban.

2. Étire doucement le bord du papier entre le pouce et l'index, pour obtenir un effet de volant, comme ceci.

3. Enroule le papier autour du manche d'une cuillère en bois. Fais glisser vers le bas et entortille la pointe.

Coupe ici.

4. Plie l'autre moitié de papier en deux trois fois, dans le sens de la largeur. Découpe la forme d'un pétale.

5. Ouvre. Élimine deux pétales. Approfondis chaque entaille entre les pétales pour mieux séparer ces derniers.

6. Enroule les pétales autour du papier de la cuillère. Mouille le pouce et l'index, et entortille de nouveau le bas.

Coupe ici.

Découpe les
feuilles dans
du papier vert.

7. Raccourcis de moitié
la section la plus courte
d'une paille flexible.
Coupe deux fentes au
bout, comme illustré.

8. Enlève la fleur de la
cuillère. Trempe le bout
entortillé dans de la
colle et enfonce dans
la paille. Laisse sécher.

Les narcisses sont en
papier crépon blanc
dont le bord a été
colorié avec un
feutre orange.

9. Ouvre doucement
chaque pétale, en tirant
un peu pour les répartir
en collerette autour de
la partie centrale.

Enveloppe le bouquet
dans du papier de soie,
afin de cacher les pailles.

Pots de fleurs

Ajoute des bandes tant qu'il y a de la place.

1. Colle deux bandes de cache adhésif de chaque côté d'un pot en terre cuite.

2. Recommence avec deux autres bandes. Rabats vers l'intérieur du pot, comme illustré.

3. Ajoute d'autres bandes de cache adhésif dans les intervalles si nécessaire.

Chiffonne l'essuie-tout.

Lave la gomme ensuite pour enlever la peinture.

4. Imbibe de l'essuie-tout de peinture acrylique. Applique régulièrement entre les bandes.

5. Continue de peindre l'espace entre les bandes. Quand tout est sec, enlève le papier cache.

6. Trempe la gomme d'un crayon à papier dans de l'acrylique d'une autre couleur.

Colle des fleurs découpées dans du papier cadeau.

Quelques fleurs de printemps plantées dans un pot décoré : quel joli cadeau de Pâques !

7. Appuie avec la gomme sur le pot pour imprimer les pétales d'une fleur, comme ceci.

8. Lave la gomme, trempe-la dans une autre couleur, puis imprime le

Carte de la poule et de l'œuf

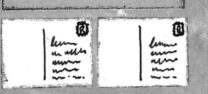

1. Coupe un morceau de papier épais de la taille de deux cartes postales.

2. Plie le papier en deux, dans le sens de la largeur, puis ouvre-le.

3. Rabats chaque bord de largeur sur la pliure centrale.

L'œuf doit être un peu plus petit que la carte.

Centre l'œuf sur la carte.

Ne coupe pas le dos de la carte.

4. Dessine un œuf sur l'envers d'une feuille de papier cadeau.

5. Découpe et colle sur la carte. Trace une ligne en zigzag de haut en bas.

6. Écarte devant et dos de la carte et découpe le long du zigzag.

Décore l'intérieur

7. Dessine et découpe un poussin sur du papier jaune. Ajoute yeux et bec.

8. Colle le poussin sur la pliure au centre de la carte.

Choisis du papier de couleur vive à motif assez petit.

9. Dessine les pattes avec un feutre. Décore la carte.

Têtes d'œuf chevelues

1. Prépare une coquille d'œuf selon les étapes 3 et 4 de la page 24. Remplis de coton.

2. Verse de l'eau avec une cuillère. Retourne l'œuf pour égoutter l'excès d'eau.

3. Pose dans une boîte à œufs. Saupoudre une demi-cuillerée à café de graines de cresson.

4. Mets l'œuf dans un endroit bien clair. Arrose chaque jour. Le cresson poussera en 7 ou 8 jours.

Superpose les bouts.

5. Découpe une bande étroite dans la largeur d'une carte postale. Enroule-la et scotche.

6. Pose l'œuf sur son socle. Dessine un visage avec un feutre ou colle un nez et des yeux.

Découpe des oreilles pour faire un lapin.

Fais un poussin avec un bec et des ailes.

© 2001 Usborne Publishing Ltd., Usborne House, 83-85 Saffron Hill, Londres EC1N 8RT, Grande-Bretagne. www.usborne.com
© 2001 Usborne Publishing Ltd. pour le texte français.